图书在版编目（CIP）数据

和爸爸一起散步 /[法]周·欧斯特·朗迪文；[西班牙]卡门·瑟果维亚图；王石安译．—武汉：湖北少年儿童出版社，2009.5
（海豚绘本花园系列）
ISBN 978-7-5353-4537-0

Ⅰ.和… Ⅱ.①周…②卡…③王… Ⅲ.图画故事—法国—现代 Ⅳ.I565.85

中国版本图书馆CIP数据核字（2009）第063010号
著作权合同登记号：图字17-2008-102

和爸爸一起散步   L'Amour qu'on porte

[法]周·欧斯特·朗迪 /文 [西班牙]卡门·瑟果维亚 /图   By Jo Hoestlandt
王石安 /译   Illustrated by Carmen Segovia
责任编辑 /周 艳 唐 燕 安 宁   Copyright © 2007 Editions Milan -300,rue Léon Joulin -31101 Toulouse
美术编辑 /沈 霞   Cedex 9-France
装帧设计 /黄 河   www.editionsmilan.com
出版发行 /湖北少年儿童出版社   All rights reserved.
经销 /全国新华书店   Simplified Chinese copyright © 2009 Dolphin Media Co., Ltd.
印刷 /恒美印务（广州）有限公司   本书中文简体字版权经法国EDITIONS MILAN出版社授予海豚传媒股份有
开本 /787×1092 1/12 2.5印张   限公司，由湖北少年儿童出版社独家出版发行。
版次 /2009年6月第1版第1次印刷   版权所有，侵权必究。
书号 /ISBN 978-7-5353-4537-0
定价 /26.00元

策划 /海豚传媒股份有限公司 网址 /www.dolphinmedia.cn 邮箱 /dolphinmedia@vip.163.com
咨询热线．027-87398305 销售热线．027-87396822
海豚传媒常年法律顾问 /湖北立丰律师事务所 王清博士 邮箱 /wangq007_65@sina.com

和爸爸
一起散步

[法]周·欧斯特·朗迪／文
[西班牙]卡门·瑟果维亚／图
王石安／译

HUBEI CHILDREN'S PRESS
湖北少年儿童出版社

我 小时候，平日里总是和妈妈待在家里，只有到了星期天，爸爸才会……

……带我出外旅游。为什么呢？

因为路途遥远，走起来很辛苦，所以妈妈就很难有机会带我去了。

我和爸爸走到乡村附近，那里有几匹马在石泉边饮水。

我们走过小屋，来到了小树林里。偶尔，还会在路上遇到一头母鹿，

它总是静静地站在那里。

最后，我们走到悬崖上，坐在那里眺望远方。

在那里，我们望着远方的地平线，望着太阳慢慢地、按时回归大地。

每当我们要远行的时候，

妈妈就会坐在小小的房子里目送着我们渐走渐远，

猫咪在火炉前喵喵地叫着，

"多穿点衣服哦！"妈妈叮嘱我们说。

她总是给我穿上最保暖的衣服。

因为树林里空气阴冷，

到了高高的悬崖上，风会更寒冷。

我和爸爸跨着大步向前走去。

大约要走一个小时。

突然，我不小心在石路上绊了一跤，

跌倒了，膝盖擦破了一小块皮。

我哭着叫道："爸爸，等等我！"

于是，他过来抓住我的手，帮助我继续上路。

走啊走啊，我再也没有力气走下去了，
爸爸就俯下身来对我微笑着，随后，他把我举了起来，放在他的肩膀上。
这时候，我又看到那些马在石泉边饮水，石泉喷射出无数的水花。
在小树林深处，我们又能遇到那头母鹿，还看到了一些小鹿。
啊，这时候我比悬崖还要高，我看到，太阳正在慢慢地落到远山的后面。

"我是不是好重啊？"我问爸爸。

"是的，你是挺重的。"爸爸说，不过他并不打算把我放下来。

我想：也许一个怀有爱心的人，是不会感到沉重的……

渐渐地，渐渐地我长大了。

渐渐地，爸爸开始需要我的帮助了。

可是，有时当他慢慢地向我伸出手的时候，

我却有些不耐烦。

"你愿意过来吗？"我问爸爸。

"嗯，我愿意，我这就来。"他气喘吁吁地说。

渐渐地，渐渐地我长大了，
住在离家稍远的地方。
但我会时常回来，
回来看望我的父母。

我领来了我心爱的女友，
去见我的爸爸妈妈。
猫咪依旧在火炉前喵喵地叫着，
爸爸却什么都没说，
只是默默抽着烟，
坐在我妈妈旁边，
坐在房子前面的长凳上。
他们轻轻地说着话儿，
一会儿说说这，一会儿说说那。
我不知该对他们说点什么才好。

在茂密树林的遮掩下，
我和女友尽情玩着互相追赶的游戏，
她亲亲我，我亲亲她。
"来呀！来追我呀！"她喊着，
不时引起了阵阵回声，
回声惊动了那些小鹿，
可是它们似乎一点儿也不害怕。

最后，很不幸，那个我爱的少女，她不爱我了。

从这一天开始，我发现自己又独自一人了，

我感到悲伤，也很失望，

不过，我叮嘱自己，不要被这场爱情击倒啊。

我仍然经常回家看望爸爸妈妈，现在他们都老了。

看到他们那个样子，我的心里充满伤感。时间过得真快啊！

还有猫咪在火炉前喵喵叫吗？

在那古老的石泉上，还有马儿在饮水吗？

小树林深处还有母鹿在吗？

当然，在悬崖边上，

还可以望到太阳耀眼地躺在地平线上。

有一次我问爸爸："你还愿意陪我吗？"

爸爸睁着明亮的蓝眼睛，

愉快地说："当然！亲爱的。"

我等了一会儿，妈妈给我穿上那件茄克衫。

因为树林里已变凉了，悬崖上还有大风在吹。

我们慢慢地动身了，我在前面走，爸爸蹒跚地跟在后面。

石泉边没有马儿了，只有几个孩子在快乐地泼弄着水花。

爸爸在那里喝了点水，我也喝了点，水很凉爽。

树林尽头散发着焦枯的气味，还搭起了一个木架子，

不过，鸟儿仍然安详地站在上面唱着歌。

我们没有碰到那头母鹿，可是……

"爸爸，你快看！"我说。

这时候，正好有一只兔子正惊慌地从我们面前跑过。

爸爸显然是疲倦了，他走在路上被树根绊了一下。

我赶紧伸出手来搀扶住他，把他扶稳。

然后我们俩继续向前走，一直走到悬崖上。

乡村似乎变小了，田野也减少了，房子多了起来。

一家工厂的烟囱正在冒着烟。

最后，太阳闪着耀眼的光芒渐渐沉落到大地上，

一群飞鸟排着长队神秘地飞过天空。

我和爸爸默默地坐着。

此刻，在这里，我相信，我们是幸福的。

"咱们回家吧，爸爸……"可是，话一出口我就后悔了。

爸爸艰难地迈着双腿，好不容易才走进小树林里。

他说："孩子，我好像走不动了……"

我对着他俯下身子，让他两手扶着我的肩膀，帮助他恢复一下体力。

最后，我也背起了我的爸爸。

待我从喘息中平息以后，爸爸问我：

"我是不是太重了啊？"

"是的，有一点点。"我答道，"不过，爸爸，这不能算重。"

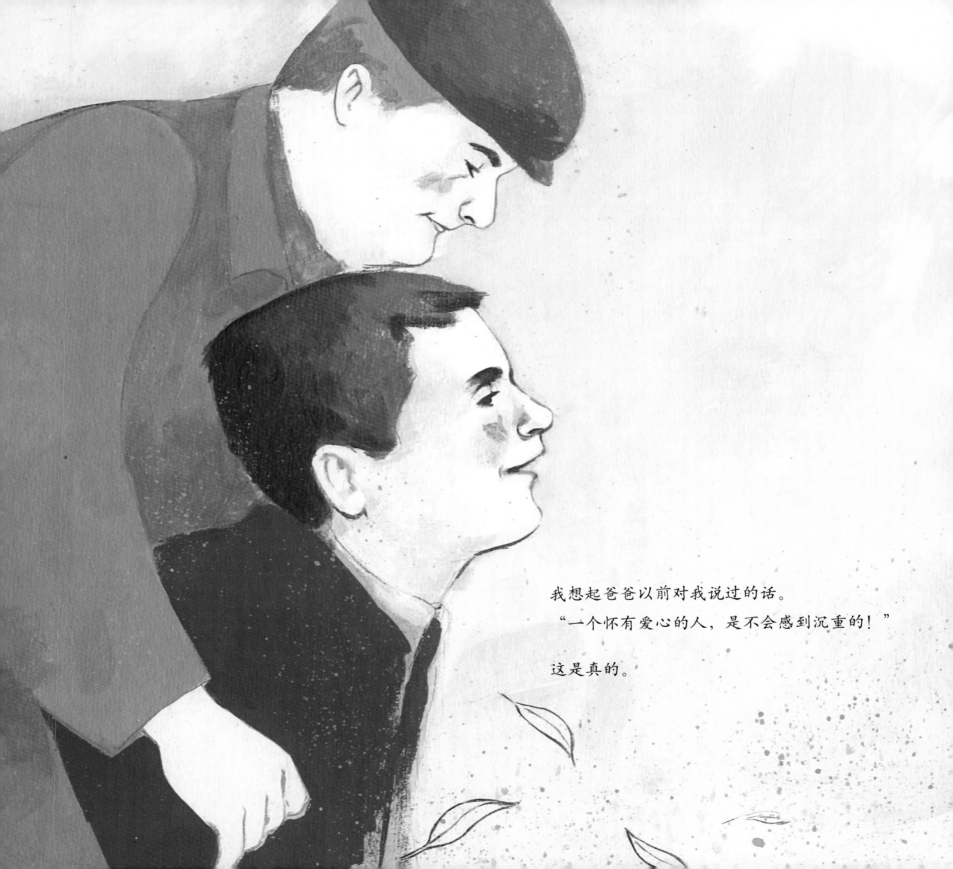

我想起爸爸以前对我说过的话。

"一个怀有爱心的人，是不会感到沉重的！"

这是真的。